Sueños

Program Authors
George M. Blanco
G. Yvonne Pérez

Richard L. Allington
Camille L. Z. Blachowicz
Ronald L. Cramer
Patricia M. Cunningham
Constance Frazier Robinson
Sam Leaton Sebesta
Richard G. Smith
Robert J. Tierney

Instructional Consultant
John C. Manning

Program Consultants
Arminda Chávez
Patricia Martínez-Miller
Rodolfo S. Mendoza
Flora Rodríguez-Brown

Literature Consultant
Carmen García Moreno

Critic Readers
Rosario L. Salinas
Elba María Stell
Hilda Soto Stickney

**Scott, Foresman
and Company**

Editorial Offices:
Glenview, Illinois

Regional Offices:
Sunnyvale, California
Tucker, Georgia
Glenview, Illinois
Oakland, New Jersey
Dallas, Texas

Scott, Foresman Spanish Reading

Acknowledgments

Text
Page 32: "Caballito blanco" from *Lírica infantil de México* by Vicente T. Mendoza. Copyright © Fondo de Cultura Económica, México. Reprinted by permission.
Page 43: "El armadillo y la tortuga" from *Lengua española para la escuela primaria*, Tercer Grado by Graciela González de Tapia. Copyright © 1980, Publicaciones Cultural, S.A. de C.V., México. Reprinted by permission.
Page 93: "Imagino" by Carmen Esteva. Copyright © 1986 by Carmen Esteva. Reprinted by permission of the author.
Page 113: "Jugando" from *Canciones para todo el año* by Ángela Figuera Aymerich. Copyright © 1984 by Editorial Trillas, México. Adapted by permission.
Page 150: "La Tortuga y la Hormiga" from *Don Catrín de la Fachenda* by J. J. Fernández de Lizardi. Copyright © 1981, Editorial Oasis, México. Reprinted by permission.
Page 168: "La Patita" by Francisco Gabilondo Soler. Reprinted by permission of the author.
Page 170: *La paloma y la hormiga* (Fábula de la Fontaine), adaptación de M. Eulàlia Valeri. Versión castellana de Asunción Lissón. Copyright © 1973, La Galera, S. A., Editorial, Barcelona. Adapted by permission of the publisher.

Artists
Reading Warm-up: Dorothy Scott, 6–13
Section 1: Penny Carter, 14–15; Susan Jaekel, 16–22; Diane Magnuson, 23–30; Gary Lippincott, 32: Lynn Sweat, 33–42; Paul Harvey, 43–50; Mary Jane Begin, 52–61; Kathy Kelleher, 70
Section 2: Ellen Beier, 74–75; Dora Leder, 76–83; Bert Dodson, 84–92; Liz Allen, 93; Charly Palmer, 94–102; James Watling, 103–112; Eulala Conner, 113; Susan Lexa, 114–124
Section 3: Michael Adams, 128–129; Joe Veno, 130–141; Marlene Ekman, 150–157; Susan Hall, 168–169; Bob Alley, 170–179; Nan Brooks, 181
Glossary: Julie Durell 182–189

Freelance Photography
Pages 62–69: Don Klumpp; Pages 142–148: Ken Lax

Photography
Page 158: K. G. Preston-Mafham/ANIMALS, ANIMALS; Page 159: Raymond A. Mendez/ANIMALS, ANIMALS; Page 160: Rudolf Freund/Photo Researchers, Inc.; Page 161: Raymond A. Mendez/ANIMALS, ANIMALS; Page 162: Russ Kinne/Photo Researchers, Inc.; Page 163: S. J. Kraseman/National Audubon Society/Photo Researchers, Inc.; Page 164 (left): Patti Murray/ANIMALS, ANIMALS; Page 164 (right): E. S. Ross/ANIMALS, ANIMALS; Page 165: Harry Rogers/National Audubon Society/Photo Researchers, Inc.

Cover Artist
Richard Egielski

ISBN: 0-673-74155-9

Contenido

Sección 1
Veamos lo que sigue:
Todos se mueven

1

Unidad 1

Unidad 2

Unidad 3

El paseo de Rana Rita

Es un día de sol.
Rana Rita sale del lago y se sienta a
mirar las ardillas que juegan
contentas.

—Estoy cansada de hacer lo mismo
todos los días —dice—.
Me siento sola y triste.
Aquí no tengo con quien jugar.

El lago está cerca de la ciudad.
Rana Rita escucha los ruidos de los
carros y de los camiones.

—Me voy de paseo a la ciudad —dice.

Rana Rita salta y salta.
Así llega a una calle.
En la calle hay mucha gente.
Ve una luz roja.
Los camiones y los carros se paran.

Rana Rita mira a la gente que camina
por las calles de la ciudad.
Ve a un niño que va de paseo con
su perro.
Un camión se para.
Rana Rita mira a la gente que sube
apurada al camión.

—La ciudad me gusta, pero aquí no
tengo amigos —dice Rana Rita.

Rana Rita se para cerca de la ventana
de una juguetería.
Se pone a mirar los juguetes.
Ve un reloj, un elefante y una rana
de juguete.
La rana de juguete salta y la mira.

—¡Esa rana me saluda! —dice
Rana Rita—.
¡Aquí tengo una amiga!

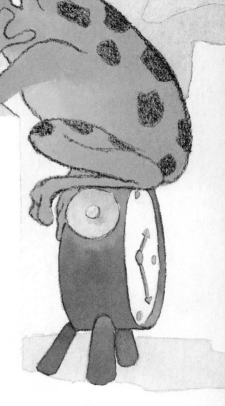

Rana Rita se siente muy contenta y entra a la juguetería.

—¿Sabes nadar? —le pregunta a la rana de juguete.

La rana de juguete no contesta pero da dos saltos.

—¿Quieres jugar a saltar? —dice
Rana Rita—.
¡Vamos a ver quién salta más alto!

La otra rana no se mueve más.

Rana Rita sale muy triste de la
juguetería a la calle y dice:
—Esa rana no es como yo.
En la ciudad hay camiones y gente,
pero yo me siento sola.
Las ranas de la ciudad no son como yo.

Rana Rita salta por las calles y
llega a una plaza.
Ve a cuatro ranas que le dicen:
—¡Ven a jugar al agua, amiga!

—¡Estas ranas sí saben jugar! —dice
Rana Rita—.
¡Qué contenta me siento!

Rana Rita nada contenta con las
otras ranas.
Ahora no se siente sola en la ciudad.

13

1

Todos se mueven

En la ciudad y en el campo todos se mueven. ¿Cómo se mueve la gente? ¿Cómo se mueven los animales?

Vamos a ver cómo se mueven todos en la ciudad y en el campo.

Ramón y el pan

Ramón y su tía Sara van a comer.
Ramón ayuda a su tía.
Ramón dice:
—Tía, ya no tenemos pan.

—Ramón, ve rápido a la panadería
a buscar pan —dice su tía—.
Pero apúrate, la panadería va
a cerrar.

Ramón sale rápido a la calle y ve
los camiones.
El reloj de la plaza da las cuatro.

—La panadería va a cerrar —dice
Ramón, apurándose.

En la calle hay unos hombres en
monociclos.
Los hombres tienen chalecos con flecos.

Ramón se para a mirar a los hombres.

—Mi monociclo sabe formar números
—dice un hombre en un monociclo.

Luego el hombre mira a Ramón.

—¿Qué número es éste? —le pregunta.
El hombre gira dos veces con
su monociclo.

—¡Es un ocho! —grita Ramón.

Otro hombre tiene una caja grande.

—Mi perra Chispa es muy graciosa.
Ella sabe montar en monociclo —dice.

Chispa tiene un chaleco con flecos.
Chispa mueve la cola y los flecos
se mueven.
Luego la perrita se para en dos patas
y saluda.

—¡Uno, dos..., ahora! —grita
el hombre.
Chispa salta y entra en la caja.

Otro hombre tiene una cuerda.
Anda rápido en su monociclo y hace
girar la cuerda.
Una muchacha tira unas manzanas.
Las manzanas pasan por dentro de
la cuerda.

—¡Las manzanas pasan y no se le caen
al suelo! —grita Ramón.

Ramón tarda.
La tía Sara mira la calle por la
ventana y dice:
—No veo a Ramón.

Luego sale a buscarlo a la panadería.

La tía Sara ve a la gente y a los
hombres en monociclos.
Ve a Ramón que está tocando los
flecos del chaleco de Chispa.

—¿Y el pan, Ramón? —pregunta la
tía Sara.

La tía Sara mira a los hombres en
monociclos y dice:

—¡Qué graciosos!

Luego mira el reloj de la plaza
y dice:

—¡Rápido, Ramón!
¡La panadería va a cerrar!

Ramón y su tía van corriendo a
la panadería.

El circo

La mamá de Jaime y Lucy lee en
voz alta:

—Aquí dice que hoy llega el circo.
Miren esto.
Es una niña caminando sobre una
cuerda floja.

—Eso es fácil —dice Jaime—.
Nada más hay que caminar.

—No es fácil caminar sobre la cuerda
floja —dice la mamá y se ríe.

Lucy y Jaime llegan al circo con sus papás y sus amigos Karen y Peter. Los tambores de la banda tocan.

—¡Rápido, los payasos ya van a salir! —dice el papá.

Los niños se sientan.

Los payasos saltan, giran y se caen.
Caen todos en el mismo lugar.

—¡Forman una montaña de payasos!
—grita Lucy.

La gente se ríe.
Son unos payasos muy graciosos.

Los payasos se van.
Después entran los elefantes en fila.
En sus cabezas, los elefantes llevan
sombreros con flecos de colores.

—¡Qué graciosos! —dice Karen
riéndose.

Los elefantes se paran en dos patas.

Después de los elefantes entran
los acróbatas.
Los acróbatas saltan uno sobre otro y
forman una torre alta.

—¡Mira, no se caen! —grita Peter.

—¡Ahora los acróbatas forman una
pirámide! —dice el papá.

Otros acróbatas forman un arco.

Los acróbatas se van y entran
las jinetes.
Una de las jinetes salta y gira
sobre un caballo.
La otra jinete salta y gira sobre
dos caballos que corren uno al lado
del otro.

—Los acróbatas son más graciosos que
las jinetes —dice Jaime.

Las jinetes se van y una niña
sale a saludar a la gente.
La niña tiene un chaleco con flecos.
Es la niña que camina sobre la
cuerda floja.
La niña se sube a la cuerda floja.

—Eso es fácil —dice Jaime.

—¿Quién quiere ayudar a Tina con el aro? —pregunta un hombre.

Jaime se levanta y toma el aro.
Tina pisa la cuerda floja con cuidado
y pasa por el aro.
Jaime admira su manera de caminar
sobre la cuerda floja.
¡Ahora piensa que no es tan fácil
caminar sobre la cuerda floja!

Prueba de comprensión y habilidades

Pensemos en las lecturas

- **1.** En "Ramón y el pan", ¿qué le pasa a Ramón cerca de la panadería?
- **2.** ¿Qué sabe hacer Chispa, la perra?
  3. En "El circo", ¿qué piensa Jaime antes y después de ayudar a la niña con el aro?
  4. ¿Por qué crees que Jaime dijo que era fácil caminar sobre la cuerda floja?
- **5.** ¿Qué llevan los elefantes del circo en sus cabezas?
  6. ¿Qué te gusta más del circo?

- Habilidad en la lectura: Detalles

Caballito blanco

de Vicente T. Mendoza

Caballito blanco, sácame de aquí,
llévame a mi pueblo, donde yo nací.

—Tengo, tengo, tengo...
—Tú no tienes nada.

—Tengo tres borregas en una manada;
una me da leche, otra me da lana,
y otra mantequilla para la semana.

El granjero, el hijo y la mula

Fábula de Esopo
adaptada por Mary Hynes-Berry

Un granjero va a salir para la aldea
con su hijo.

—Vamos juntos hasta la aldea, hijo.
¡Lleva la mula y los frijoles! —dice
el granjero.

El hijo lleva la mula y los frijoles.

El granjero va primero.

El hijo sigue al granjero.

La mula sigue al hijo.

En el campo hay dos niñas sentadas
junto a un árbol.

Las niñas miran al granjero, al hijo
y a la mula.

Una de las niñas come fresas frescas.

—El granjero no monta la mula —dice
la niña que come fresas frescas.

—El hijo tampoco —dice la otra.

—La mula va con ellos hasta la
aldea pero no la montan —dice la
niña que come fresas—.
¡Qué tontos son!

El granjero se para y dice:
—Hijo, la mula no está cansada.
¿Por qué no la montas?

El hijo sube a la mula.
Todos siguen otra vez para la aldea.
La mula lleva al hijo y los frijoles.

Después de un rato, llegan hasta un
lago de agua clara y fresca.
Ven a dos niños junto al lago.
Un niño pone un barco en el agua y
el otro silba.

—El granjero está cansado —dice el
niño que silba.

—¡Monta la mula, granjero! —dice el
otro niño.

El granjero se para y dice:
—Hijo, bájate de la mula
con los frijoles.

El granjero monta la mula.
El hijo camina.
Todos siguen otra vez para la aldea.

Cinco hombres pescan en el lago de
agua clara.

Los cinco hombres miran al granjero,
al hijo y a la mula.

—El granjero monta la mula —dice
un hombre.

—¡Y el hijo camina con los frijoles!
—dice otro y se ríe.

—Esa mula lleva a un solo hombre
—dice otro—.
¡Mi mula puede llevar hasta cinco!

El granjero se para otra vez y dice:
—Estás cansado, hijo.
Monta la mula tú también.

La mula sigue caminando y lleva
al granjero, al hijo y los frijoles.

Un hombre que rema en el lago de
agua clara los ve y grita enojado:
—¡Qué cosa!
¡Dos hombres sobre una mula tan
cansada!

El granjero y el hijo se bajan de
la mula.
La mula está enojada.
Ya no quiere caminar.

—Si haces lo que la gente quiere,
nunca vamos a llegar al final del
camino —le dice la mula
al granjero—.
Quiero saber qué es lo que
tú quieres hacer.

A LA ALDEA

FRIJOLES

—Ya que me lo preguntas, te lo
voy a decir —dice el granjero—.
Tú llevarás los frijoles, y mi
hijo y yo caminaremos a tu lado.

—¡Buena idea! —dice la mula—.
¡Vamos como tú quieres, granjero!

Siguen su camino a la aldea.
Ahora hacen lo que quieren y no
lo que la gente quiere.
¡Ahora van muy felices!

El armadillo y la tortuga

adaptado por Graciela González de Tapia

Un armadillo corre por la arena y mira
para todos lados.

—Si me apuro, me puedo esconder de
la tortuga —dice.

Hace un hoyo en la arena y se esconde.

—Es fácil esconderse en arena blanda
y fresca —dice el armadillo.

Se esconde en el hoyo y espera un rato.

La tortuga camina por la arena.
Busca al armadillo dentro de
unos troncos vacíos.
Al final ve el montón de arena
fresca y grita:
—¡Aquí estás, Armadillo!

El armadillo sale del hoyo y le dice:
—Ahora te escondes tú.

La tortuga y el armadillo son muy
buenos amigos.
Todos los días juegan juntos.

—Tú no haces nada muy rápido
—le dice un día el armadillo a
la tortuga—.
Yo hago cinco hoyos en la arena
mientras tú haces uno.

—Tú haces hoyos en la arena más
rápido que yo —dice la tortuga—.
Pero yo nado más rápido que tú.

El armadillo la escucha.
Se ríe hasta que se pone rojo.

—Vamos a hacer una carrera —dice la
tortuga al rato—.
En cinco días te espero a la orilla
del lago, Armadillo.

—¿En cinco días? —pregunta él.

—Necesito hacer mis ejercicios antes
de la carrera —dice la tortuga.

—¿Ejercicios? —pregunta el armadillo
y se ríe.

Todos los días la tortuga hace
sus ejercicios.

Se levanta temprano, come fresas
frescas y se va a nadar al lago de
agua clara.

Nada un rato en el agua clara y
después hace más ejercicios.

El armadillo no hace ejercicios.
Él sólo come fresas y dice:
—Las fresas me gustan más que
los ejercicios.

47

Llega el día de la carrera.
La tortuga espera un rato junto al agua clara.
El armadillo llega y toca el agua.

—El agua está clara pero... ¡qué fría! —dice el armadillo.

—¡Estoy lista! —dice la tortuga.

El armadillo ya no se ríe.

Los dos entran al agua.
La tortuga nada muy rápido y
va primero.
El armadillo la sigue.
No nada muy rápido y tose.

La tortuga llega a la orilla.
El armadillo tose y tose.
Ya no quiere nadar.

—¡Vamos! —le grita la tortuga.

—¡Hoy no quiero nadar! —dice
el armadillo mientras tose.

El armadillo tarda mucho en llegar
hasta la orilla.

La tortuga lo ayuda a salir del agua.
Los dos se sientan en la orilla.
El armadillo está triste.

—No seas tonto —dice la tortuga—.
Yo nado más rápido que tú, pero tú
puedes hacer hoyos en la arena más
rápido que yo.

Todos sabemos hacer alguna cosa mejor
que los demás.

Prueba de comprensión y habilidades

Pensemos en las lecturas

- 1. ¿De qué es el cuento "El granjero, el hijo y la mula"?
    - a. de unas niñas que comen fresas
    - b. de un granjero y su hijo que hacen todo lo que la gente les dice
    - c. de una mula que lleva frijoles
  2. ¿Crees que el granjero debió hacer lo que él quería o lo que la gente quería? ¿Por qué?
  3. En "El armadillo y la tortuga", ¿quién gana la carrera y por qué?
  4. ¿Qué harías tú antes de una carrera?

- Habilidad en la lectura: Idea principal

El tesoro escondido

Hoy es el cumpleaños de Antonio.
Como Antonio tiene muchos amigos,
su mamá le hace una gran fiesta.
Ahora su papá les va a preparar un
juego para la fiesta.

—Vamos a esconder un tesoro
—dice el papá—.
El tesoro es una bolsa con regalos.
Ustedes tienen que encontrar el tesoro.

—¿Cómo vamos a encontrar el tesoro si está escondido? —pregunta Antonio.

—Los ayudaremos con un mapa —dice el papá.

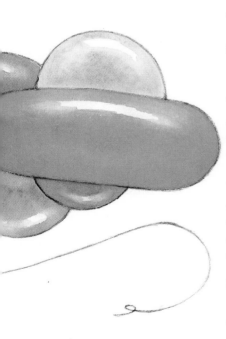

—¿Con un mapa? —pregunta Gabi, la hermana de Antonio.

—Haremos un mapa de la casa —dice la mamá—.
El mapa les va a mostrar cómo encontrar el tesoro.
Ahora, ¿por qué no se van a jugar un rato?

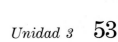

La mamá y el papá van a la cocina.
El papá prepara tres papeles.
Uno de los papeles dice dónde está
el tesoro.
Pone un papel debajo de la mesa.

La mamá busca una regla.
Con la regla y un lápiz, va a dibujar
los lugares donde están los papeles.
Con la regla y el lápiz, dibuja la cocina
y la mesa.
Marca una cruz en el dibujo de
la mesa.

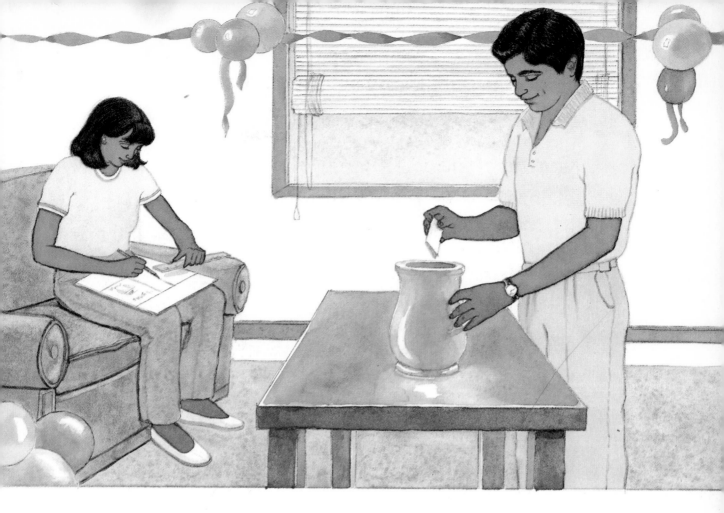

—Vamos a la sala —dice el papá.

El papá esconde un papel dentro
del florero en la sala.
Con la regla y el lápiz, la mamá
dibuja la sala y el florero.
Marca una cruz en el dibujo
del florero.
Después los dos salen de la sala
al jardín.

—Esconde el papel en la planta
—dice la mamá.

Con la regla y el lápiz, ella dibuja
el jardín y la planta donde está
escondido el papel.
Luego marca una cruz en el dibujo
de la planta.

—El mapa ya está listo —dice
la mamá.

—Ya no hay más papeles —dice
el papá.

Se va al estudio.
Él sabe el secreto del tesoro
y se ríe.

Llegan los niños para la fiesta.
Están muy contentos.
Todos se ríen.

—¿Por qué no se forman en dos grupos?
—dice el papá.

Los niños hacen dos grupos.
La mamá les da el mapa que ella dibujó.
El mapa es así.

—¿Cómo encontramos el tesoro?
—preguntan los niños.

—Miren el mapa —dice la mamá—.
El mapa tiene unas cruces.
Hay una cruz sobre la mesa, una sobre
el florero y otra en la planta.
Las cruces dicen dónde hay
papeles escondidos.
Uno de los papeles dice dónde está
el tesoro.

El grupo de Antonio corre al florero.
Leen el papel y corren a la cocina.
Antonio mira la mesa, ve el papel, lo
lee y dice:
—Entonces esos papeles… ¡no dicen
dónde está el tesoro!

Gabi y su grupo llegan al jardín.
Los niños buscan en la planta.

—¡Aquí está el papel! —grita Ken
y lo lee—.
¡El tesoro está en el estudio!

El grupo de niños corre al estudio.
Gabi ve la bolsa cerca de unos libros.

—¡Encontramos el tesoro en el estudio!
—gritan todos contentos.

El barrio

El señor García enseña en una escuela.
La escuela está en un barrio grande.
En el barrio donde está la escuela
hay un supermercado, una panadería,
un parque y una biblioteca.
El señor García va a mostrar a la
clase cómo es el barrio.

El señor García tiene un mapa grande del barrio.

Les va a mostrar a los niños dónde está la escuela, el parque y la biblioteca.

Les va a mostrar dónde está el supermercado y la panadería.

Para ir de un lugar a otro, los niños necesitan saber cómo es el barrio.

El señor García le dice a la clase:

—Yo camino por el barrio al salir de
la escuela.

Tomo el mismo camino todos los días.

Voy a mostrarles el camino en el mapa.

Ustedes van a marcar el camino en
el mapa con un lápiz.

Al salir de la escuela, voy
al supermercado.
Para ir al supermercado tengo que
cruzar la calle.
El supermercado está frente a la
escuela.

Tim marca con un lápiz el camino de la
escuela al supermercado.

—Luego salgo del supermercado y voy a la panadería.

La panadería está al lado del cine.
Primero camino hasta la esquina donde paran los camiones.
Paso frente al cine y entro a la panadería.

Rita marca en el mapa el camino del supermercado a la panadería.

—Después camino hasta el parque.
Para ir al parque tengo que llegar a
la esquina y cruzar la calle.
Me siento un rato en el parque todos
los días.

Raúl marca el camino de la panadería
al parque.

—Después voy a la biblioteca.

La biblioteca está frente al parque.

Busco libros para ustedes.

Juan marca en el mapa el camino del
parque a la biblioteca.

—Después salgo de la biblioteca.
Voy a la casa y llevo los libros que
les voy a mostrar.
Para ir a la casa tengo que tomar
un camión.
Voy a la esquina de la biblioteca.
Cruzo la calle hasta llegar a
la esquina del parque.
Allí tomo el camión que me lleva
a la casa.

Pedro marca con un lápiz el camino
de la biblioteca a la esquina donde
paran los camiones.

En el mapa del barrio puedes ver por
dónde camina el señor García todos
los días.

Busca el dibujo de la panadería donde
compra el pan todos los días.

Busca el parque donde se sienta.

Ahora busca la esquina donde toma
el camión para ir a su casa.

Conoce al lector

Jesse Miguel Anthony vive en Minnesota.
Tiene dos hermanos y un gato.
En la escuela Jesse tiene clases
de música.
Él quiere tocar el tambor.
Le gusta jugar con sus amigos por la
tarde, después de la escuela.

Unos libros que le gustan mucho son
El primer caso del profesor Lupa y
El pequeño coyote.
También le gusta leer sobre piedras,
montañas, animales y otras cosas.
A Jesse le gusta hacer libros pequeños
y dibujarlos.

En julio Jesse va a la playa.
Le gusta nadar, y sabe nadar muy bien.
También monta a caballo y pesca.

Prueba de comprensión y habilidades

Pensemos en las lecturas

1. En "El tesoro escondido", ¿cómo hacen los niños para llegar al tesoro?

• 2. Mira el mapa de la página 58. ¿Qué lugar está al lado del estudio?

3. En la lectura "El barrio", ¿a qué lugares del barrio va el señor García?

• 4. Mira el mapa de la página 70. ¿Qué lugar está frente a la biblioteca?

5. ¿Qué lugar de tu barrio te gusta más? ¿Por qué?

• Habilidad en el estudio: Mapas

Pensemos en la sección

¿Quién se mueve para ir de un lugar
a otro?
¿Quién se mueve para jugar?
¿Quién se mueve para trabajar?
¿Quién se mueve para ayudar?

Señor García

Ramón

Mula

Gabi y Antonio

Tortuga

Jaime

2

No todos vemos lo mismo

Yo veo algo que tú
no ves.
Tú ves algo que yo
no veo.
No todos vemos lo mismo.
Vamos a leer sobre muchas
maneras de ver las cosas.

Tengo que escribir un cuento

Debo escribir un cuento sobre un
viaje y no sé cómo hacerlo.
¡Ya sé!
Voy a hacer una lista de todas
mis ideas.
Primero hago una lista de países.
Luego debo escoger un país.
Después tengo que pensar cómo puedo
llegar allí.

—¿Para qué son esas listas, Diego?
—pregunta mi mamá.

—Para escribir un cuento —le
contesto—.
Un cuento para llevar a la escuela.

Me pongo a jugar con mi perro.

—Diego, deja al perro y escribe el
cuento —dice mi mamá.

No sé cómo empezar mi cuento.
Pienso en los barcos que hacen
viajes por el mar.
¿A qué países van?
¿De dónde vienen?

—Mamá —le pregunto—, ¿dónde está
el Atlántico?

—Diego, ¿por qué no subes a tu
recámara y lo buscas en el mapa?
—dice ella—.
Luego, escribe tu cuento.

En mi recámara hay una alfombra.
Me siento sobre la alfombra con
mi oso de juguete.

Pienso que mi alfombra es ahora una
nube en la que volamos él y yo.
Sentados en la alfombra salimos por
la ventana y volamos sobre la ciudad.

Sentados en la nube hacemos un viaje
sobre el Atlántico.
Vamos a visitar un país de cuentos.

—Allí hay un castillo de torres muy
altas —dice mi oso.

Las torres del castillo son muy altas.
Se ven cerca de las estrellas.
El príncipe y la princesa del castillo
tienen invitados en el jardín.

Mi oso se asoma y ve un dragón.

—¡Allí hay un dragón enojado!
—grita mi oso.

El dragón tiene sed y no sabe dónde
encontrar agua.

—¿Cómo lo podemos ayudar? —le
pregunto a mi oso.

Mi oso le grita al dragón:

—¡A que no sabes soplar fuerte!

El dragón nos ve sentados en la nube.

Sopla la nube una y otra vez.

Agua de lluvia cae de la nube.

El dragón bebe el agua de lluvia

y ya no tiene sed.

—Diego, debemos volver —dice mi oso.

De pronto estoy en mi recámara otra vez.
Bajo corriendo y le digo a mi mamá:
—¡Mamá, voy a escribir un cuento
sobre un dragón!

—¿Sobre un dragón? —pregunta ella—.
¿Y dónde está ese dragón?

—En un país que tiene un castillo
—le contesto—.
Mi osito y yo llegamos a ese país
volando en la alfombra de mi recámara.
¡Qué lindo es un viaje en alfombra!

¡Vamos a jugar a los piratas!

En la playa, Luz y Bill buscan
piedras para su colección.
Bill hace una lista de las piedras.
Les faltan dos piedras que brillan.
Luz ve una piedra azul que brilla
en la arena.
La piedra parece una joya.

—No hay muchas piedras de ese color
en la playa —dice Bill.

—¡Parece una joya! —dice Luz.

—Sí, pero es sólo una piedra
—dice Bill—.
La voy a poner en mi recámara.

—Vamos a imaginarnos que es una joya
de un tesoro —dice Luz.

—¡Eso es! —dice Bill—.
¿Dónde está el tesoro?

—Vamos a imaginarnos que un pirata
venía de viaje por el Atlántico.
Él escondió el tesoro en esta playa
—dice Luz.

—¡Vamos a jugar a los piratas!
—dice Bill.

—¡Vamos a hacer un tesoro con las
piedras de la playa! —dice Luz—.
Allí hay dos blancas y una amarilla.

Luz pone estas piedras con las otras.
El tesoro de los piratas ya está listo.

—Ahora vamos a hacer un barco para navegar por el Atlántico —dice Bill.

Luz y Bill hacen un barco con la arena de la playa.
Al rato, el barco está listo.

—¿Dónde ponemos el tesoro? —pregunta Luz.

—En la punta del barco —dice Bill.

Los dos niños suben al barco de arena.
Juegan a los piratas que navegan por
el Atlántico.
Llevan las joyas a un lugar secreto.
Hay una tormenta y las olas del mar
los mojan.

Luz ve un tiburón y grita:
—¡Un tiburón! ¡Rema rápido, Bill!

Se hace de noche en el Atlántico y
las estrellas brillan en el cielo.

—Los piratas saben navegar de noche
—dice Bill.

—Ellos miran las estrellas y saben
dónde están —dice Luz.

—¡Allí hay cinco estrellas juntas!
—dice Bill—.
Si se sigue el camino de las cinco
estrellas se llega a la playa.

—¡Allí está la playa! —grita Luz.

Bill hace un hoyo en la arena.
Pone la joya azul a un lado.
Después, pone las otras joyas dentro
del hoyo, mientras Luz las escribe
en la lista de las joyas.

Después, Bill dibuja un mapa en
la arena.
Bill marca el mapa con una estrella
para saber dónde está escondido
el tesoro.

La mamá de Luz mira desde lejos cómo
los niños corren por la playa.
Bill lleva la piedra azul para ponerla
en su recámara.

—¡Encontramos el tesoro de un
pirata! —gritan los niños.

La mamá de Luz se ríe, feliz.

Prueba de comprensión y habilidades

Pensemos en las lecturas

1. En "Tengo que escribir un cuento", ¿qué hace Diego para pensar en una idea para su cuento?

• **2.** ¿Qué pasa primero, después y por último?

    a. Diego piensa en una idea para su cuento.

    b. Diego hace una lista de sus ideas.

    c. Diego sube a su recámara.

3. En "¡Vamos a jugar a los piratas!", ¿cómo piensan Luz y Bill a qué jugar?

• **4.** ¿Qué pasa primero, después y por último?

    a. Luz y Bill hacen un barco de arena.

    b. Luz ve una piedra que brilla.

    c. Luz y Bill esconden el tesoro.

• Habilidad en la lectura: Secuencia de eventos

Debe ser leído por el maestro

Imagino

de Carmen Esteva

Imagino que soy aire
y que soplo entre las flores.

Imagino que soy agua
y que corro por el río.

Aire, flores, agua, río,
sueño, canto, juego y río.

¿De dónde viene el chocolate?

¿De dónde viene el chocolate?
¿Cómo se prepara leche con chocolate?
Es muy fácil.
Compras el polvo en el supermercado.
Luego lo mezclas con leche en un vaso.
¿Sabes de dónde viene el polvo que
compras en el supermercado?
Viene de la planta de cacao.

¿Sabes quiénes encontraron la planta
de cacao?
La encontraron los indios de México.
En México, los indios preparaban
la bebida de chocolate hace mucho,
mucho tiempo.
Pero el chocolate que había entonces
no era como el de ahora.
Era muy amargo.

Dentro de la planta de cacao hay
unas semillas.
Con las semillas de cacao los indios
hacían la bebida de chocolate.
Primero tenían que juntar todas las
semillas de la planta de cacao.
Después tenían que mojar las semillas
y ponerlas al sol, en el suelo.
Las semillas tenían que secarse
al sol y al aire.

¿Por que tenían que secarlas
los indios?
Así era más fácil hacer el polvo.
Las semillas estaban un tiempo al sol
y al aire.

Después de secar las semillas había
que tostarlas.
Con las semillas calientes se hacía
el polvo de cacao.

Para hacer el polvo había que moler
las semillas calientes encima de una
piedra llamada el metate.
La manteca de cacao se hacía primero
encima del metate.
Después se molían más las semillas
para hacer el polvo de cacao.

Esto no era fácil y tomaba tiempo.
Después de mucho tiempo, se hacía el
polvo de cacao encima del metate.

Con este polvo los indios hacían unas
tabletas redondas.
Luego ponían las tabletas al aire y a
la sombra, sobre unas hojas grandes.

¿Por qué al aire y a la sombra?
Porque las tabletas tenían que estar
frías para hacer la bebida
de chocolate.

Después había que partir las tabletas
en pedazos.
Luego había que mezclar los pedazos
de tabletas con agua caliente.
Con el agua caliente y las tabletas
se hacía la bebida de chocolate.

La bebida tenía espuma y era del
color del chocolate.
Era una bebida amarga.

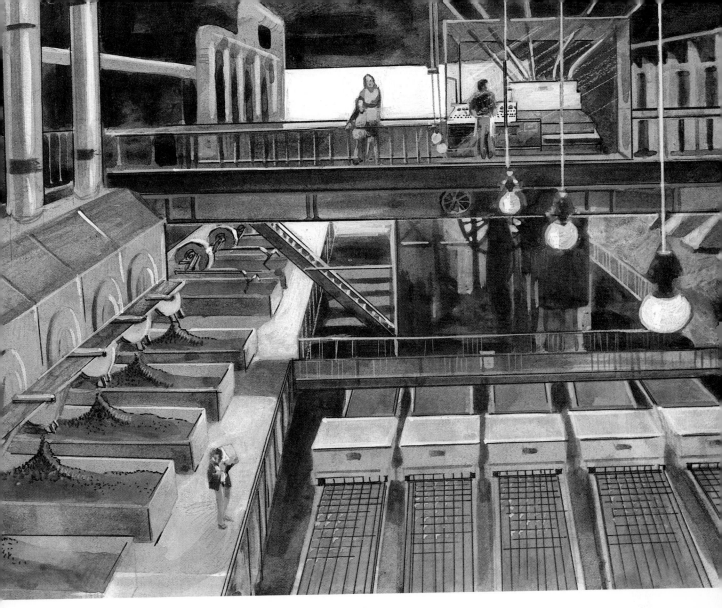

Hoy día no hacemos la bebida de
chocolate como la hacían los indios
de México.
El polvo de chocolate que usamos
también viene de las semillas
de cacao.
Pero ahora se hace en fábricas.

Ahora es más fácil preparar una
bebida de chocolate.
No toma mucho tiempo hacer el polvo
en una fábrica.
No necesitamos hacer las tabletas.
Tampoco necesitamos un metate.
Mezclamos el polvo con leche y la
bebida ya está lista.

Mis amigas las sombras

Es de noche y Rosa está en su recámara.
Tiene un vaso de leche encima de
la mesa.
Como hace calor, aire caliente entra
por la ventana.
La niña ve sombras en la pared de
la recámara.
Se asusta de las sombras y grita:
—¡Abuelita, hay sombras en la pared!

La abuelita entra a la recámara
y dice:
—No te asustes.
Las sombras de la pared son
tus amigas.
Te voy a enseñar a jugar con ellas,
pero primero bebe esta leche fría.

Rosa bebe toda la leche y pone
el vaso encima de la mesa.
Ahora van a jugar con las sombras.

La abuelita levanta un dedo de la mano
izquierda y otro de la mano derecha.
Rosa ve la sombra de sus dedos en
la pared.
La abuelita mueve los dedos y las
sombras de la pared se mueven.

—Son señores que se saludan —dice
la abuelita.

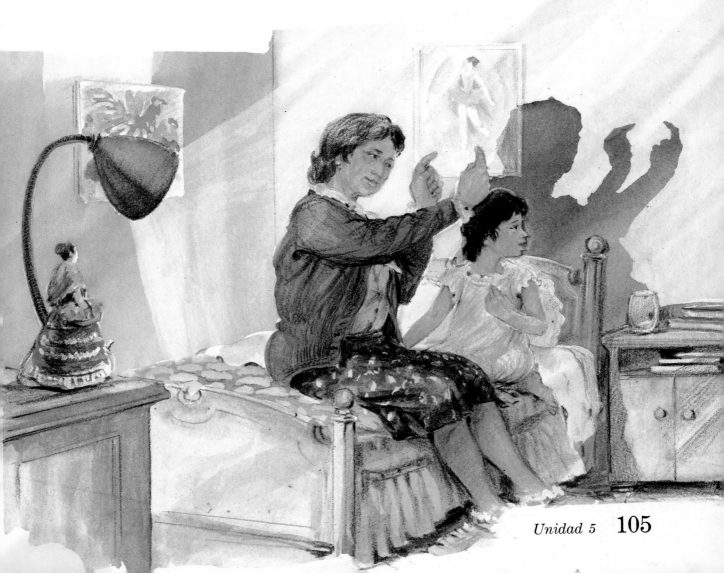

La abuelita cierra un poco la mano
izquierda y con los dedos de la
derecha hace dos orejas.

—¿Sabes qué animal es éste?
—pregunta.

—¡Un conejo! —dice Rosa.

Rosa hace otro conejo.

—¡El mío salta por el aire!
—dice Rosa—.
Ahora salta por encima de tu conejo.

—Así se hace una mula —dice
la abuelita.

Con los dedos de la mano derecha le
hace la cara y las orejas.
Con los dedos de la izquierda le hace
las patas y la cola.
La abuelita baja los dedos.

—La mula está cansada —dice—.
Las orejas le llegan al suelo.

—¿Sabes cómo hacer un pájaro?
—pregunta la abuelita—.

Rosa piensa un rato.
Cruza la mano izquierda sobre
la derecha.
Con la izquierda hace un ala.
Con la derecha hace otra ala.
La sombra en la pared es un pájaro
que abre y cierra las alas.

La abuelita hace una araña.
Mueve los dedos rápido, uno por uno.

—¿Qué ves ahora? —pregunta.

—Veo una araña que camina
—dice Rosa—.
Abre y cierra las patas.

—Ahora la araña se va a dormir
—dice la abuelita.

La abuelita cierra sus manos.

Rosa hace un pato y la abuelita hace
un elefante.
El pato juega a volar por encima
del elefante.

—El elefante camina y luego se para
—dice la abuelita—.
No quiere jugar.

Ya es tarde.
La abuelita sale de la recámara.

Ahora Rosa está sola en su recámara.

''Me gusta jugar con las sombras
de la pared'', se dice Rosa.

Piensa en los señores que se saludan
y en el conejo que salta.
Piensa en el pájaro que abre y cierra
las alas.
Piensa en la araña y en el pato.

Rosa ya no se asusta.
Las sombras son sus amigas.

Prueba de comprensión y habilidades

Pensemos en las lecturas

1. ¿De dónde viene el chocolate?
   a. de unas hojas
   b. de las semillas del cacao
   c. de un metate

2. ¿Dónde se ponían las semillas de cacao para hacer el polvo?

• 3. ¿Por qué ponían los indios las tabletas de cacao al aire y a la sombra?

4. En la lectura "Mis amigas las sombras", ¿qué le asusta a Rosa y cómo la ayuda su abuelita?

• 5. ¿Por qué parece abrir y cerrar las alas la sombra del pájaro?

• Habilidad en la lectura: Relaciones de causa y efecto

Jugando

de Ángela Figuera Aymerich

—¿Redonda?

    —La luna.

—¿Y redondo?

    —El sol.

—¿Redonda?

    —La bola.

—¿Redondo?

    —El balón.

—¿Redonda?

    —La fresa.

—¿Redondo?

    —Mi corazón.

—Tu corazón no es redondo.

    —Tú ¿lo ves?

—¡Claro que no!

    —Entonces, ¿cómo lo sabes?

—Porque sí.

    —¡Vaya razón!

    Es mío y sé que es redondo.

—Pues ya no juego.

    —Ni yo.

¿Cómo lo hacemos?

—El jueves es el último día de
clases —les dice la maestra a todos
los alumnos de su clase—.
La escuela va a hacer una fiesta para
festejar el fin del año escolar.
Todas las clases van a preparar una
función para la fiesta de fin de año.
¿Qué función vamos a preparar?

—Hay dos clases que van a preparar bailes —dice la maestra.

—Una función de títeres es mejor que un baile —dice Elena.

—¿Cómo la vamos a preparar? —pregunta la maestra.

—Yo puedo hacer el teatro para el jueves, si me ayudan —dice Frank.

115

Los alumnos forman tres grupos.
El grupo de Frank va a hacer el teatro.
El grupo de Elena va a hacer
los títeres.
El tercer grupo va a dar la función.

—¿Cómo piensan hacer el teatro?
—pregunta la maestra.

—Con una caja de cartón —dice Frank.

Él hace un diagrama con tres cuadrados.

—Cada cuadrado es un lado de la caja
—le dice Frank a la maestra.

Lisa, Kim y Gerardo trabajan con Frank.
En el piso hay una caja de cartón.
Encima de una mesa hay pintura azul,
papeles de colores y unas tijeras.

—Falta la pegadura —dice Frank.

—Hay que recortar un agujero cuadrado
en un lado de la caja para los títeres
—dice Gerardo.

La maestra y los alumnos hacen el teatro así:

1. Con las tijeras recortan y quitan el lado de arriba de la caja.
2. Luego recortan y quitan el lado de atrás y el de abajo.
   Quedan tres cuadrados grandes.
3. Luego recortan un agujero cuadrado para los títeres.
4. Pintan las paredes de azul.
5. Luego recortan estrellas de colores para pegarlas en los lados.

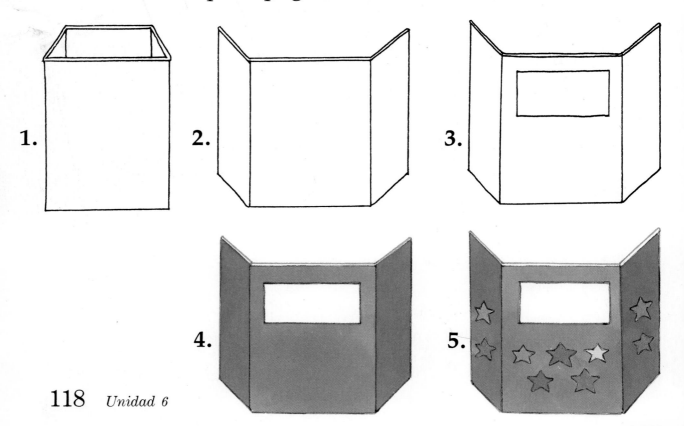

El teatro queda muy bien.
Mientras limpian el piso, los alumnos
hablan de la fiesta del día jueves.

—¡La fiesta de fin de año va a quedar
muy bien! —dice Frank.

—¿Faltan muchos días para que sea
jueves? —pregunta Gerardo.

—Faltan tres días para que sea jueves
—dice Kim.

—Ya tenemos el teatro para la función
de fin de año —dice la maestra—.
Ahora voy a ayudar a hacer los títeres.
Este libro tiene un diagrama de cómo
hacer los títeres.
Los títeres del diagrama son patos.
Necesitamos cartón, pegadura, tijeras,
calcetines amarillos y estambre.
Miren bien el diagrama y mañana
haremos los títeres.

¡Los títeres están listos!

Al otro día, Pam, Miguel y Elena se
sientan a hacer títeres que
parecen patos.
Elena tiene el libro con diagramas
y los calcetines amarillos.
Pam tiene la pegadura y el estambre.
Miguel tiene el cartón y las tijeras.

Los alumnos hacen cada pato así:

1. Primero recortan del cartón una mitad del pico, la mitad de arriba.
2. Luego recortan la otra mitad, la mitad de abajo.
3. Después ponen una mano dentro del calcetín y pegan cada mitad del pico en la punta del calcetín.
4. Luego recortan los ojos del pato del cartón y los pegan en el calcetín.

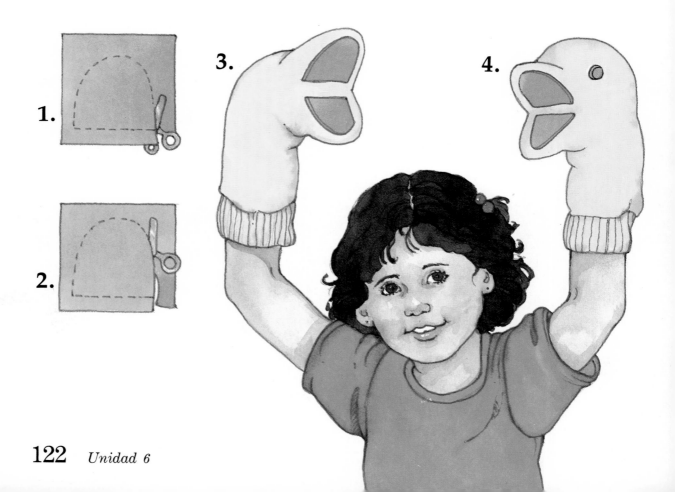

1.

2.

3.

—Hay que hacer las plumas de los patos con estambre amarillo —dice Pam.

Las hacen así:

1. Cortan pedazos de estambre con las tijeras.
2. Luego hacen un nudo en la punta de cada estambre.
3. Después, cosen los pedazos de estambre en los calcetines.

Por fin llega el jueves y la fiesta
de fin de año.
Los alumnos que van a dar la función
de títeres están listos.
Ahora va a empezar la función de
títeres.

—¿Cómo se hacen esos títeres de
calcetines? —preguntan todos.

—Otro día los alumnos de mi clase y
yo les enseñaremos —dice la maestra.

Conoce al lector

José Andreas Curbelo vive en Colorado.
Le gusta saber por qué y cómo se
hacen las cosas.
Le gustó mucho leer el cuento ''¿Cómo
lo hacemos?''

—Después que leí ese cuento, yo
solo hice un teatro de títeres con
una caja de cartón —dice José—.
Mis amiguitos vinieron a ver la
función y nos divertimos mucho.

Hace poco tiempo José trabajó en una
obra de teatro.
Cuando sea grande quiere seguir
trabajando en el teatro.
También le gustaría escribir
obras de teatro.

Prueba de comprensión y habilidades

Pensemos en las lecturas

1. En la lectura "¿Cómo lo hacemos?", ¿qué hacen los alumnos para celebrar el fin de año?

• 2. Para hacer el teatro de títeres, ¿qué hacen los alumnos primero, después y por último?

   a. recortan estrellas

   b. pintan las paredes de azul

   c. recortan un agujero cuadrado

• 3. En la lectura "Los títeres están listos", ¿qué hacen los alumnos primero para hacer títeres?

4. ¿Crees que la maestra está contenta con el trabajo de los alumnos? ¿Por qué?

• Habilidad en la lectura: Pasos de un proceso

Pensemos en la sección

Mira los dibujos que están a
la izquierda.

Ahora, mira los que están a
la derecha.

¿Qué crees que ven los niños que están
a la izquierda en las cosas que están
a la derecha?

3

Hacemos lo que hay que hacer

¿Qué hacemos para vivir?
¿Qué hacemos para ayudar
a otros?
¿Qué hacemos para hacer
felices a otros?
Hacemos lo que hay
que hacer.

Vamos a leer sobre gente
y animales que hacen lo
que hay que hacer.

Vamos a trabajar juntos

PERSONAJES

Señor Pato

Señora Pata

Patitos del señor
y de la señora

Primo Pato

Prima Pata

Patitos de los primos

Hermano Pato

Hermana Pata

Patitos de los hermanos

Abuelito Pato

Abuelita Pata

SEÑOR PATO —*(trabajando en la cocina)*

Hago pan con harina y huevos.
¡Cada día cocino el pan mejor!
¡Todos quieren mi pan!

SEÑORA PATA —¡Qué rico huele el pan!
¿Cuánto pan hay en el horno?
¡Me gusta el olor a pan!

SEÑORA PATA —Oigo un ruido.

¡Son la abuelita y el abuelito que vienen a visitarnos del campo!

ABUELITA PATA —¡Buenos días, hija! Estamos de paseo. ¡Qué rico olor a pan!

ABUELITO PATO —Tengo hambre, hijo.
Huele a pan.
¿Cuánto pan hay en el horno?

SEÑOR PATO —No hay pan para todos.
Voy a buscar más harina.

ABUELITA PATA —¡Qué bien huele el pan!
¿Te puedo ayudar?

SEÑOR PATO —No, gracias, haré el pan
yo solo.

SEÑORA PATA —Oigo un ruido.
¿Qué es ese ruido que oigo?

PRIMO PATO —¡Buenos días, prima!
Venimos de visita.
¡Qué bien huele la casa!

PRIMA PATA —Huele a pan y el olor
viene del horno de la cocina.

PRIMO PATO —¡Qué rico olor!
¡Tengo hambre, primo!
¿Cuánto pan hay en el horno?

SEÑOR PATO —Hay dos panes en el
horno, pero no alcanzan para toda
la familia.

PRIMA PATA —*(queriendo ayudar)*
¿Quieres harina, primo?

SEÑOR PATO —Sí, pero haré el pan
yo solo.

ABUELITA PATA —¿Qué es ese ruido que
oigo, hijas?
Llaman a la puerta.
¡Es tu hermano y su familia!

HERMANO PATO —Como hacía frío donde
vivimos, volamos a este lugar.

PATITOS —*(hablando todos a la vez)*
¡El pan huele rico!
¡Tenemos hambre, mucha hambre!
¿Cuánto pan hay en el horno?

SEÑOR PATO —Hay más pan en el
horno, ¡pero no alcanza para toda
la familia!
¡Mis primos, mis padres, mis
hermanos… son muchos!
¡Ay, mis pies están cansados!
Necesito más huevos y más harina.
¿Dónde están los huevos?

(Deja caer los huevos.)

¡Ay, se cayeron al piso!
¡Voy a perder el juicio!

ABUELITA PATA —¿Qué es ese ruido?
Oigo un ruido en la cocina.

(Todos corren a la cocina.)

ABUELITO PATO —¡Cuántos huevos rotos!

ABUELITA PATA —Te vamos a ayudar a
hacer el pan, hijo.

SEÑOR PATO —¡No, haré el pan
yo solo!

SEÑOR PATO —Ya hay más pan en el
    horno, pero no alcanza para
    toda la familia.
    ¡Tengo que hacer más pan!
    ¡Voy a perder el juicio!
    ¡Estoy muy cansado!
    ¡Ah!, voy a sentarme un ratito.

(Se sienta y cierra los ojos.)

SEÑOR PATO —(*después de un rato*)
¡Qué olor a quemado!
¡Es el pan en el horno!
¡Se quemó el pan!

PATITOS —¡Tenemos hambre!

PRIMO PATO —El trabajo será más
fácil si todos hacemos el pan.

SEÑOR PATO —*(después de pensar un rato)*

¿Qué voy a hacer?

Ahora sí voy a necesitar ayuda.

Buscaré más harina y más huevos.

¡Vamos a trabajar juntos!

Los alimentos y la salud

Estos niños están sentados a la mesa
para el desayuno.
Su mamá les prepara el desayuno
todos los días.
Les da cereales, huevos, fruta
y leche para el desayuno.
Ella dice que estos son buenos
alimentos para la salud.

Puedes ayudar a escoger buenos
alimentos para tu familia.
Un día, después del desayuno, ve con tu
mamá a comprar alimentos al mercado.

La compra puede ser como un juego.
Escoge los alimentos que son buenos
para la salud usando tu buen juicio.
Para ayudarte a escoger con buen
juicio, piensa en lo que comes en
el desayuno, la comida y la cena.

Sabes que las verduras y las frutas
son alimentos buenos para la salud.
Las verduras y las frutas alimentan
mucho.
¿Qué verduras y frutas te gustan más?

144 *Unidad 7*

También puedes comprar carne en
el mercado.
¿Cuántas clases de carne puede comer
la gente?
Mucha gente come carne de res, carne
de puerco, pollo o pescado.

Sigue escogiendo más alimentos con
buen juicio.
Faltan otras cosas para cuidarte la salud.
Mira y piensa.

También puedes escoger cereales
y frijoles en el mercado.
Los cereales y los frijoles también
son buenos para tu salud.

Aquí ves los cereales y los frijoles
que puedes comprar en el mercado.
Ves también alimentos que se hacen de
granos de cereales.
¿Qué alimentos de éstos conoces?

También puedes comprar leche en el mercado.

La leche también es buena para tu salud.

La mantequilla y el queso se hacen de la leche.

¿Puedes encontrar todos estos alimentos aquí?

¿Qué alimentos te gustaría comer en la cena?

Mucha gente come alimentos como éstos en la cena.

Aquí puedes ver carnes, frutas, verduras, cereales, frijoles y quesos.

Todos estos alimentos los puedes comprar en el mercado.

Todos son buenos para tu salud.

Prueba de comprensión y habilidades

Pensemos en las lecturas

1. En "Vamos a trabajar juntos", ¿qué quiere hacer el Señor Pato?
- 2. ¿Por qué crees que el Señor Pato no quiere ayuda?
3. ¿Por qué el Señor Pato se queda dormido en la cocina?
- 4. ¿Cómo puedes usar buen juicio al escoger tus alimentos?
5. ¿Qué alimentos de los que tú comes son buenos para tu salud?

• Habilidad en la lectura: Sacar conclusiones

La tortuga y la hormiga

Fábula de José Joaquín Fernández de Lizardi

Un día de primavera, una hormiga va
muy despacio hacia su casita.
Lleva una carga pesada de semillas.
Llena los cuartos de su casita con
semillas para comer en el invierno.

Una tortuga que vive cerca de la
hormiga la ve y le dice:
—A ti te gusta trabajar tanto,
¡y a mí me gusta descansar mucho!

Pasa la primavera y llega el verano.
La hormiga camina despacio hacia
su casita.
Lleva otra carga pesada de semillas.
Pasa cerca de la tortuga y le dice:
—A ti te gusta descansar todo el día.
¿Por qué no aprendes a trabajar?

Pasa el verano y llega el otoño.
La hormiga camina muy despacio hacia
su casita con su carga pesada.

—¿Por qué trabajas tanto en la
primavera, el verano y el otoño?
—pregunta la tortuga.

—Si no trabajo, no tendré qué comer
en el invierno —contesta la hormiga—.
Y tú, ¿por qué descansas tanto?

—Porque me gusta —contesta
la tortuga.

—¿Qué te gusta comer? —pregunta
la hormiga.

—Hojas de plantas —dice la tortuga—.
Ahora es otoño y hay muchas hojas
de plantas.

—¿Por qué no aprendes a guardar
plantas para el invierno? —pregunta
la hormiga—.
Debes aprender a guardar comida.
¡Aprende a trabajar!

—¿Qué crees que le va a pasar a
la tortuga cuando llegue el invierno?
¿Por qué crees eso?

El otoño pasa y llega el invierno.
Las plantas ya no tienen hojas.
En su casa, la tortuga abre los ojos
y mira hacia afuera.

—¡Tengo tanta hambre! —dice.

Sale despacio de su casa a buscar comida.

Busca hojas de plantas, pero no hay.

—¡Auxilio! ¡Auxilio! —grita la tortuga.

La hormiga sale de su casita.

—¿Qué te pasa que gritas tanto?
¿Por qué pides auxilio? —pregunta
ella.

—Tengo hambre —dice la tortuga—.
¡Las plantas ya no tienen hojas!
¿Qué voy a comer este invierno?
¡Auxilio! ¡Auxilio!

—Yo trabajo despacio en la primavera, el verano y el otoño —dice la hormiga—.

Cuando llega el invierno, guardo tanta comida que puedo descansar.

Mientras yo trabajo, a ti te gusta descansar.

No aprendes a trabajar, y ahora pides auxilio.

Te voy a dar estas semillas, pero debes aprender a guardar comida y a trabajar.

Una amiga muy trabajadora

Las hormigas son muy trabajadoras.
Las hormigas trabajan juntas, pero no
todas hacen el mismo trabajo.
Hay una sola reina y muchas hormigas
obreras.
Cada hormiga trabaja para que las
otras puedan vivir.

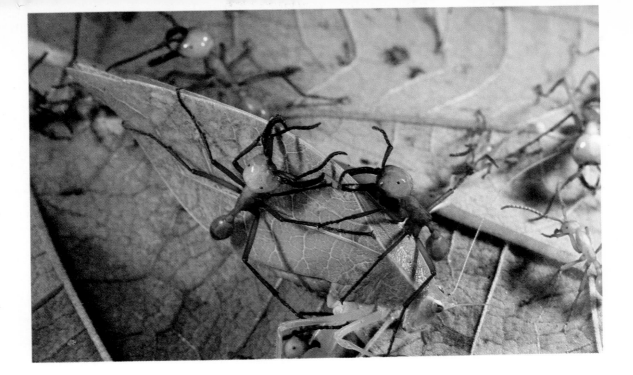

En la primavera, el verano y el otoño
las ves trabajar fuera del hormiguero.
Poco a poco llevan pedazos de
comida al hormiguero.

¿Cómo hacen las hormigas obreras para
encontrar su comida en el verano?
Una obrera sale primero del hormiguero.
Si ve comida, les avisa a las otras.
Marca el camino con un olor especial.
Las otras siguen el olor.
Caminan en fila y no se pierden.
Después van hacia el hormiguero en
fila por el mismo camino.

Imagínate que estás afuera y se te
cae un pedazo de pan al suelo.

¿Qué crees que va a pasar?
¿Por qué crees eso?

Al rato el pan está lleno de hormigas.
Al encontrar el pan, se ponen
a trabajar.
Cada hormiga lleva un pedazo de pan
para guardarlo en el hormiguero.

El hormiguero tiene muchos túneles.
Las hormigas van por esos túneles.
Cada hormiga tiene mucho trabajo que
hacer dentro del hormiguero.

El trabajo de la reina es poner huevos
para tener más hormigas.
La reina no cuida los huevos.
Ése es el trabajo de las hormigas
obreras.

Las obreras hacen trabajos muy pesados.
Caminando por los túneles, unas llevan
los huevos que pone la reina a
otros lugares.
Algunas obreras limpian los cuartos y
túneles y le dan de comer a la reina.
Otras hacen más cuartos y túneles en
el hormiguero.
Otras guardan comida en los cuartos.

Algunas hormigas obreras están paradas
fuera del hormiguero.

Éstas son las hormigas soldados.

Cuando la reina sale, los soldados
la cuidan.

El trabajo de los soldados es cuidar
a la reina y el hormiguero.

El trabajo de los soldados es muy
importante.

Algunas hormigas reciben gotitas de agua
dulce que otras hormigas les dan.
Esta agua dulce viene de las flores.
Guardan el agua dulce en su cuerpo.
La guardan hasta que el cuerpo se les
pone redondo y pesado.

Estas hormigas se quedan en un cuarto
del hormiguero.
Si las obreras tienen hambre, caminan por
los túneles para tomar un poco de agua
dulce del cuerpo de estas hormigas.

En un hormiguero, las hormigas
trabajan juntas y se ayudan unas
a otras.
Si miramos las hormigas con cuidado,
podemos aprender mucho de ellas.
Podemos aprender a trabajar y
a ayudar.

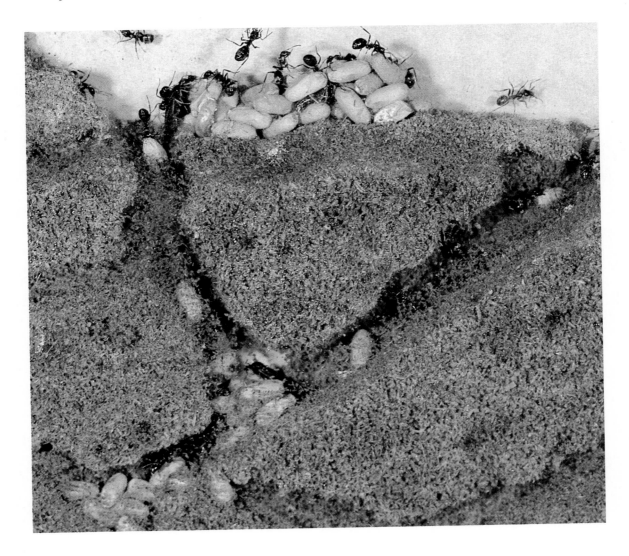

Conoce al lector

Juan Esteban Rubín tiene ocho años.
Vive en Pennsylvania.
A Juan le gusta jugar béisbol.
También le gustan mucho los caballos.
Le gusta leer libros sobre caballos
y otros animales.
Cuando leyó el artículo "Una amiga muy
trabajadora", Juan dijo:
—Aprendí mucho sobre la vida de las
hormigas y sobre los diferentes
trabajos que ellas hacen en un
hormiguero.

Cada semana Juan va a la biblioteca
de su escuela para sacar libros.
Busca libros sobre animales y los lee
en su casa.

Prueba de comprensión y habilidades

Pensemos en las lecturas

1. En "La tortuga y la hormiga", ¿por qué trabaja tanto la hormiga?

• 2. ¿Qué creíste que le pasaría a la tortuga en el invierno?
   ¿Por qué?

3. Si fueras la hormiga, ¿ayudarías a la tortuga?
   ¿Por qué?

4. ¿Qué trabajos hacen las hormigas y qué podemos aprender de ellas?

• 5. ¿Qué creíste que pasaría al caerse un pedazo de pan al suelo?
   ¿Por qué lo creíste?

• Habilidad en la lectura: Anticipar el resultado

La patita

de Gabilondo Soler

La patita,
con canasta y rebozo de bolita,
va al mercado,
a comprar todas las cosas del mandado.
Se va meneando al caminar,
como los barcos en altamar.

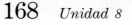

La patita,
va corriendo y buscando en su bolsita,
los quintitos,
para darle de comer a sus patitos,
porque ella sabe que al regresar
toditos ellos preguntarán:
¿Qué nos trajiste, mamá, cuá cuá?
¿Qué nos trajiste cuará cuá, cuá?

La paloma y la hormiga

Fábula de La Fontaine
adaptada por M. Eulàlia Valeri

Una vez, una paloma se paseaba por
la orilla de un arroyo.
La paloma tenía mucha sed.
Puso el pico adentro del agua y lo
levantó en el aire.

Una hormiga se paseaba por la otra
orilla del arroyo.

—¡Tengo sed! —dijo la hormiga—.
Voy a beber de esta agua clara.
Me subo a esa hoja y camino hasta
la punta.
Así podré beber más fácilmente.

La hormiga se subió a la hoja.
Caminó hasta la punta de la hoja
y se inclinó para beber.
Al inclinarse se cayó al agua.

—¡Auxilio! ¡Auxilio! —gritó la
hormiga asustada.

El agua del arroyo corría muy rápido.
Se llevó a la hormiga muy lejos de
la orilla.

—¡No puedo nadar! —gritó la
hormiga—.
¡El agua corre muy rápido!
¡No puedo nadar!

La paloma vio a la hormiga en el agua.

—¡Pobre hormiga! —dijo la paloma—.
La voy a ayudar a salir del agua.

"Pero, ¿cómo puedo ayudarla?", se preguntó la paloma.
"Si la ayudo con mi pico, la voy a lastimar".

La hormiga, asustada, gritaba:
—¡Ayúdame, Paloma, ayúdame!

La paloma pensaba en cómo ayudarla.

"¡Ya sé!" pensó la paloma.
"Voy a poner una hoja en el agua para
   que la hormiga se suba.
   Así ella va a poder volver a la orilla
   del arroyo".

La paloma buscó una hoja y la
puso en el agua.

La hormiga se subió a la hoja.
La hoja llegó hasta la orilla del
arroyo.
La hormiga se secó las patas y le dijo
a la paloma:
—¡Eres muy buena, amiga!

Se dijeron adiós y la hormiga caminó
contenta hacia su hormiguero.

Un día, mientras la hormiga caminaba,
vio a un hombre cerca del arroyo.
El hombre era un cazador.
El cazador llevaba una trampa.
El cazador vio la paloma y se dijo:
"Ahora voy a usar mi trampa".

Puso la trampa en el suelo y la
preparó.

"Voy a tener una paloma para llevar
a mi casa", se dijo el cazador.

La hormiga vio la trampa lista.

—Pobre de mi amiga, la paloma
—dijo la hormiga—.
¡Va a caer en la trampa del cazador!
La voy a ayudar.

La hormiga se subió a la rodilla
del cazador.
Y le picó la rodilla.

—¡Ay!, ¡algo me picó la rodilla! —gritó
el cazador.

La hormiga corrió a esconderse entre
las hojas.
La paloma oyó el grito y vio al cazador.

"¡Ese cazador me quiere cazar con
su trampa!" se dijo la paloma.

Luego voló y voló hasta que nadie la
pudo ver más.

La hormiga se puso muy contenta.

RECORDEMOS

Pensemos en la sección

Mira los dibujos de la izquierda.
Mira los que están a la derecha.
Los animales que están a la izquierda
ayudaron a los que están a la derecha.
¿Cómo los ayudaron?

Ruedas, barcos y aviones

por Hisako Madakoro

Lee este libro para saber cómo dos ositos
viajan por la ciudad, por el mar y hasta
por el cielo.

El club de los diferentes

por Marta Carrasco

Tres señores piensan que ellos no son
como la demás gente.
Lee para ver por qué ellos piensan así.

Aquí llegan los bomberos

por Mitsuo Tsunoda

Lee para saber cómo unos ositos trabajan
para cuidar a la gente.

Glosario

A a

arroyo

alumnos   Los alumnos van a clase todos los días.

arroyo   Puedes pescar en un arroyo.
Mira el dibujo.

B b

barrio

barrio   Mi barrio es muy lindo.
Mira el dibujo.

C c

cruzar   Tomás va a cruzar la calle.

Ch ch

chocolate   A Mario le gusta el
chocolate con leche.

D d

despacio   Sally camina muy
despacio.
Mira el dibujo.

despacio

E e

escribir   Sara va a escribir una
carta.

escuela   Los niños van a la
escuela.
Mira el dibujo.

escuela

flecos

F f

flecos Las acróbatas llevaban chalecos con flecos. Mira el dibujo.

fresa La fresa es una fruta roja.

granjero

G g

granjero El granjero trabaja en su rancho. Mira el dibujo.

hormiguero

H h

hormiguero Las hormigas viven en el hormiguero. Mira el dibujo.

I i

izquierda Teresa tiene un globo en su mano izquierda. Mira el dibujo.

izquierda

J j

joya La joya brillaba como una estrella. Mira el dibujo.

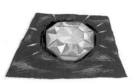

joya

jueves El jueves es un día de la semana.

L l

levantarse Raúl se levanta por la mañana. Mira el dibujo.

levantarse

llamar

Ll ll

llamar   Susan va a llamar a su amiga por teléfono.
Mira el dibujo.

monociclo

M m

monociclo   Emilia anda en su monociclo.
Mira el dibujo.

N n

nudo   José hace un nudo con la cuerda.

O o

otoño   Las hojas de los árboles
se caen en el otoño.

P p

paloma   La paloma se va
volando.
Mira el dibujo.

paloma

parar   Los carros paran
cuando la luz está roja.

Q q

quemar   ¡Cuidado, el pan se
va a quemar!
Mira el dibujo.

quemar

rápido

R r

rápido   Guillermo corre muy
rápido.
Mira el dibujo.

recortar   Puedes recortar el
papel con las tijeras.

sombra

S s

sala   Mi papá lee un libro en
la sala.

sombra   Ralph descansa a la
sombra del árbol.
Mira el dibujo.

T t

títere El títere baila para la gente.
Mira el dibujo.

tortuga La tortuga es un animal que camina muy despacio.

títere

V v

vaso Carolina toma agua de un vaso.
Mira el dibujo.

verano En verano hace mucho calor.
Mira el dibujo.

vaso

verano

189

Lista de palabras

Las palabras que aparecen abajo están agrupadas por unidad. Después de cada palabra está el número de la página en que aparece por primera vez la palabra.